moertjes

vouwfiets

handrem

voorband

fietspomp

AVI:	E3
Leesmoeilijkheid:	woorden met de tweeklank ie of ou erin (fiets, oud)
Thema:	fiets

Zwijsen

Jaap de Vries
De vliegfiets

met tekeningen van Jaap de Vries

Bikkels

Naam: *Nout*
Ik woon met: *mama*
Dit doe ik het liefst: *een hut*
maken in de tuin
Hier heb ik een hekel aan: *met mama naar*
de stad
Later word ik: *bouwer van huizen*
In de klas zit ik naast: *Tom*

De fiets

Mama fietst krom in de wind.
Nout zit bij haar achter op de fiets.
Mama wil naar de markt in de stad.
'Schiet wat op,' zegt Nout.
'Ik krijg het koud.'
'Ik kan niet vlugger,' bromt mama.
De fiets van mama fietst zwaar.
Ze komt haast niet vooruit.
De fiets is al heel oud.
Het stuur zit veel te laag.
Er is ook een spaak los.
De voorband is slap.
Het spatbord raakt de band.
De fiets piept en kraakt.
De rem doet het ook niet goed meer.
'Dit gaat zo echt niet,' zucht mama.
'Je moet er maar af.'
'Ik ga niet lopen!' roept Nout.
'Nout!' roept mama.
'Doe nou niet stout!
Schiet nou een beetje op.
Als je treuzelt, krijg je het pas koud!'

Mama stapt ook van de fiets.
Ze loopt met de fiets aan de hand.
Na een uur zijn ze in de stad.
Voor hen stopt een bus.
Er stapt een vrouw uit.
Het is de buurvrouw van mama en Nout.
Zij is de mama van Kootje.
Kootje zit bij Nout in de klas.
Kootje stapt ook uit de bus.
De buurvrouw kijkt naar de fiets.
'De bus gaat wel zo vlug,' zegt ze.
'En het is lang niet zo koud.
Maar waarom ga je niet naar Wouter?
Die maakt die fiets zo voor je!
Hij heeft een werkplaats hier vlakbij.'
Ze wijst naar een huis met een schuur.
In de schuur zit een deur.
Die deur staat op een kier.
In de tuin ervoor staat een bord.
Voor elke klus staat erop.
'Tot ziens!' roept de buurvrouw.
'Wij gaan naar de markt.
Kootje gaat vandaag koken!'

Wouter

Mama loert door de kier.
'Is daar iemand?' roept ze.
'Hallo!' hoort mama.
De stem komt uit een berg hout.
'Ik ruim het hier een beetje op.'
De stem is van Wouter.
Hij komt naar de deur.
'Wat kan ik voor jullie doen?'
'Mijn fiets wil niet meer,' zegt mama.
'Laat maar eens zien,' zegt Wouter.

Mama rijdt haar fiets de werkplaats in.
'O...' zegt Wouter.
'Die ziet er niet zo best uit.
Maar ik knap hem wel voor je op!
Die fiets van jou is zo weer klaar!'
'Fijn!' roept mama.
Maar Nout kijkt niet blij.
'Ik wou met de bus terug,' zegt hij.
'Met de buurvrouw en Kootje.
Was die fiets nou maar een vouwfiets ...
Dan kon hij mee in de bus!'
'Dat zou fijn zijn,' zucht mama.
'Vooral als het zo koud is als nu.
Maar ga je mee, Nout?' vraagt ze.
Ze pakt haar tas van de fiets.
'Dan gaan we naar de markt.

moertjes

Ik wil een mooi stukje vis.
Kootje is daar ook!'
Maar Nout wil nog niet mee.
In de werkplaats vindt hij het leuk.
Nout kijkt om zich heen.
Wat is er veel te zien ...
In de hoek staat een bakfiets.
Er is een kast vol moertjes en boutjes.
Nout ziet een heel grote tang.
En ook een zaag, en nog veel meer.
Wouter kijkt naar Nout.
'Nou, dan blijf je toch hier?'
Dan kijkt Wouter naar mama.
'Nout kan me helpen met klussen!
Je haalt hem straks maar weer op.
Dan is je fiets ook wel klaar!'

13

Aan het werk

Nout loopt naar de bakfiets.
'Die bakfiets is van mij,' zegt Wouter.
'Ik wil ermee op reis.
In de bak kan de tent en een koffer.
Ik ga op reis met Ties.
Ties is mijn beste vriend.
Met de bakfiets op reis is heel leuk.
Ik wil ook wel met het vliegtuig ...
Maar dat durft Ties niet.
Weet je wat?' zegt Wouter.
'Maak jij maar een vliegtuig voor mij.
Daar ligt genoeg hout.
Die kist zit ook nog vol.'
Hij wijst naar de kast.
'Daar liggen schroeven en spijkers.
En vast ook wel moertjes en boutjes.'
Nout haalt het hout uit de kist.
'Ik maak een vliegtuig van de kist!'

Wouter pakt de fietspomp.
Hij pompt de voorband op.
Hij kijkt naar de losse spaak.

'Die moet er maar uit,' zegt hij.
Hij haalt de spaak uit het wiel.
'Ik zet hem er zo wel weer in.'
Hij legt de spaak op de tafel.
Er zitten nog meer spaken los.
Die haalt Wouter ook uit het wiel.
Hij legt ze ook op de tafel.
Dan test hij de handrem.
Aan het stuur zitten er twee.
'Daarmee kun je niet remmen,' zegt hij.
Hij haalt ze van de fiets.
Hij legt ze bij de spaken op de tafel.
'Ik smeer ze zo,' zegt hij.
'En dan zet ik ze er weer op.'
Het stuur moet omhoog.
Hij maakt het stuur los met een tang.
'Ik zet het zo weer vast,' zegt hij.
Hij buigt het spatbord recht.
Zo raakt het de fietsband niet meer.
Wouter krijgt het er warm van.
Er zit zweet op zijn neus.
Hij veegt het eraf met zijn mouw.

Ties

Wie komt daar de werkplaats binnen?
'Hoi Ties!' roept Wouter.
'Hoi Wouter!' roept Ties.
'Ik ben lekker vroeg klaar met werken.'
Ties werkt in de bouw.
Hij bouwt mee aan een groot huis.
Hij kijkt in het rond.
'Heb je niet een klusje voor mij?'
Dan ziet hij Nout.
'Je hebt al hulp, zie ik,' zegt Ties.
'Ik bouw een vliegtuig!' vertelt Nout.
'En Wouter maakt de fiets van mama.
Mama koopt nu vis op de markt.'
'Lekker!' zegt Ties.
'Ties?' vraagt Wouter.
'Koop jij óók vis voor ons?'
'Ik koop geen vis,' zegt Ties.
'Vis vang ik zelf!'
'Schep maar weer op!' roept Wouter.
'Je hebt niet eens een hengel!'
'Nou en?' roept Ties.
'Kijk, hier ligt wel een visnet.

En hier is ook een lang touw!'
Ties loopt de werkplaats uit.
Met het visnet op zijn rug.
Het touw sleept hij achter zich aan.
Wouter loopt met hem mee.
'Doe een warme das om!' roept hij.
'Het is koud buiten!'

Nout pakt een plank.
En hij pakt een schroef.
Hij maakt de plank vast op de kist.
Zo lijkt het al een vliegtuig.
Nout pakt de spaken van de tafel.
Hij buigt ze tot een stuur.
Hij ziet de handrem.
Er moet ook een rem op het vliegtuig!
Nu is de tafel leeg.

Daar is Wouter weer.
'Dat wordt niks met die vis,' zegt hij.
'Ties schept soms zo op!'
Dan ziet hij het vliegtuig van Nout.
'Ik wil wel in dit vliegtuig.
Waar gaan we heen?'

Wouter vliegt

'Wacht!' roept Wouter.
'De fiets van jouw mama moet eerst af!'
Hij is er niet goed bij met zijn hoofd.
Hij denkt nog steeds aan Ties.
En aan de vis die Ties vast niet vangt.
Wouter kijkt naar de tafel.
De tafel is leeg.
Was hij al klaar met de fiets?
Hij weet het niet meer.
Maar er ligt echt niks meer.
De fiets moet dus wel klaar zijn.
'Mooi!' roept hij blij.

Hij neemt de fiets mee naar buiten.
'Ik zal eens kijken hoe hij nu fietst ...'
Nu wordt Nout rood.
De fiets was nog niet klaar ...
De handrem zit op het vliegtuig.
En de spaken ook.
Nout rent achter Wouter aan.
Die rijdt net op de fiets de tuin uit.
Hij fietst de berg af ...
De fiets fietst heel erg snel.

Eerst is Wouter nog blij.
Maar dan ziet hij het stuur.
Er zit geen handrem op!
En het stuur zit los!
De fiets kan alleen maar rechtdoor.
Wouter vliegt recht op de stad af.
Het voorwiel is al niet rond meer.
Er missen te veel spaken ...
Hij stormt recht op de markt af.
Daar is de viskraam.
Mama koopt net een stukje vis.
'Help!' roept Wouter.

Wouter raakt een mand met vis.
De mand vliegt door de lucht.
En ook de vissen ...
Eentje valt op zijn hoofd.
De fiets fietst door.
Wouter en de fiets komen bij een brug.
De brug staat omhoog.
Er komt net een boot aan.
De fiets knalt tegen de slagboom.
De slagboom breekt met een krak.
Wouter vliegt door de lucht ...

Vis

Met een plons landt Wouter in de vaart.
Daar zit Ties met het net en het touw.
'Wouter!' roept Ties.
Mama rent naar de vaart.
Net als Nout en de visboer.
En de buurvrouw en Kootje.
Wouter grijpt het visnet vast.
Ties lacht.
'Kijk nou eens!' roept hij.
'Nou heb ik toch beet!
Zie je wel dat ik iets vang?'
'Ik heb het ijskoud!' roept Wouter.
Ties trekt Wouter op de kant.

Nout lacht nu toch ook.
'Wouter!' roept hij.
'Nu vloog je toch!'
Ties vist de fiets ook uit de vaart.
'Kijk!' roept Ties.
'Hier heb je de vliegfiets!'
De fiets is zo krom als een hoepel.
'Mama!' roept Nout.
'Nu heb je toch nog een vouwfiets!'
Mama lacht niet.
'Thuis ligt wel een tang,' zegt Wouter.
'Die fiets buig ik weer recht.
Ik haal hem zo op met de bakfiets!
En dan koop ik ook nog een dikke vis.
Eten jullie mee?' vraagt hij aan mama.
'Maar nu heb ik het wel heel erg koud!'

De vis smaakt goed.
Nout is stil.
'Wat is er?' vraagt Wouter.
'Het was mijn schuld,' zegt Nout.
'Ik zette de rem op het vliegtuig.
En ook de rest van wat op de tafel lag.'
'Nee,' zegt Wouter.
Hij kijkt naar Ties.
Wouter wordt rood.
'Ik dacht alleen maar aan Ties.
Ik had mijn hoofd niet bij mijn werk.
Dat kan niet als je een fiets maakt.
Dat moet je goed doen.
Of het gaat goed fout ...
Maar Ties ving mij.
En nu is het weer goed!'

Wil je meer lezen over Kootje die erg van koken houdt op pagina 10? Lees dan 'Kootje de kok'. Zij gaat koken in de strandtent van oom Koen. Ze maakt patat, broodjes en pretsoep! Haar vriendje Siep bakt een vis,
maar dan gaat er iets mis ...

In deze serie zijn de volgende Bikkels verschenen:

De vliegfiets
Kootje de kok
Kaspers geheime hond
Alles in de hoed
Sjors en de vuurman
Nina, opa en de zee
De schat van de zeerover
Op reis met oom Hein

LEESNIVEAU

		ME	ME ME ME ME ME	
AVI	S	3	4 5 6 7	P
CLIB				

fiets

Toegekend door Cito i.s.m. KPC Groep

1e druk 2007

ISBN 978.90.276.7229.2
NUR 282

© 2007 Tekst: Jaap de Vries
Illustraties: Jaap de Vries
Vormgeving: Rob Galema
Uitgeverij Zwijsen B.V., Tilburg

Voor België:
Zwijsen-Infoboek, Meerhout
D/2007/1919/443